C000161038

# T'es trop moche,
# Jim Caboche !

# *Des romans à lire à deux,* pour les premiers pas en lecture !

La collection Premières Lectures accompagne les enfants qui apprennent à lire. Chaque roman peut être lu à deux voix : l'enfant lit les bulles et un lecteur confirmé lit le reste de l'histoire.

**Cette collection a trois niveaux :**

**JE DÉCHIFFRE** les bulles peuvent être lues par l'enfant qui débute en lecture.

**JE COMMENCE À LIRE** les bulles peuvent être lues par l'enfant qui sait lire les mots simples.

**JE LIS COMME UN GRAND** les bulles peuvent être lues par l'enfant qui sait lire tous les mots.

Quand l'enfant sait lire seul, il peut lire les romans en entier, comme un grand !

Un concept original **+** des histoires simples **+** des sujets qui passionnent les enfants **+** des illustrations : **des romans parfaits pour débuter en lecture avec plaisir !**

**Cette histoire a été testée par Sophie Dubern, enseignante, et des enfants de CP.**

© 2003 Éditions Nathan / VUEF (Paris, France), pour la première édition
© 2011 Éditions Nathan, sejer, 25 avenue Pierre de Coubertin, 75013 Paris
pour la présente édition
Loi n° 49-956 du 16 juillet 1949 sur les publications destinées à la jeunesse,
modifiée par la loi n° 2011-525 du 17 mai 2011.
ISBN : 978-2-09-251409-2

# T'es trop moche, Jim Caboche !

TEXTE DE GUY JIMENES
ILLUSTRÉ PAR BENJAMIN CHAUD

Le papa d'Arno bricole sous la voiture.
Arno s'approche doucement... il lève
son sabre en bois et crie très fort :

– Arrête, Arno !
Je n'ai pas le temps.

Je ne suis pas Arno.
Je suis Tom-Sans-Peur,
le chef des pirates.

Mais son papa continue de bricoler.

Déçu, Arno retourne à la maison.
Il va se plaindre à sa maman :

Papa ne veut pas jouer au pirate avec moi.

Et tous les deux descendent à la cave.
Dans l'escalier, maman explique :
un jour, papa et elle se sont déguisés
pour...

Un bal
costumé !

Arno a tout de suite deviné.

D'une grosse malle,
sa maman commence
à sortir…

Arno n'est pas content :

– Et tu n'as pas tout vu !
signale sa maman. Voici le pantalon,
la ceinture et même...

Génial !
Une épée crochue !

Arno saisit vivement la tenue de pirate
et remonte l'escalier à toute vitesse.

Son papa bricole toujours
sous la voiture.

Enfile ta tenue,
Jim Caboche,
et bats-toi !

Cette fois, papa sort la tête
de sous le moteur.

– Fiche-moi la paix, Arno ! Tu vois bien
que je suis occupé !

Arno pose la tenue par terre et s'en va
en marmonnant :

Papa ne veut
jamais jouer.

Mais bientôt, il entend derrière lui :

– Tu t'enfuis, Tom-le-Peureux.

Tu as eu peur de Caboche !

C'est Papa, torse nu.

Il a enfilé son costume de pirate.

19

Et Tom-Sans-Peur lui fonce dessus.

Jim ne recule pas assez vite.

Tom lui donne deux coups de sabre

sur le derrière.

– Aïe et ouille ! Tu as gagné, Tom !
Je me rends !
Ils ont chaud. Arno ôte son polo
pour être torse nu, comme son papa.
Il saute dans la vieille remorque
au fond du jardin.

Dès que Jim Caboche est à bord,
Tom-Sans-Peur ordonne :

Nous allons attaquer Crapette, la sorcière !

– Terre ! hurle Jim aussitôt.

C'est l'île
de la sorcière,
à l'abordage !

Les pirates descendent du navire
et marchent vers le sombre château.
– Où se cache-t-elle ?
chuchote Jim Caboche.

Au fond,
dans la cave !

Tom et Jim avancent sans bruit.
Mais Crapette surgit derrière eux.
– Ah, mes pirates,
je vous attrape !
ricane la sorcière.

# *Bravo!* Tu as lu un livre en entier !
Tu as aimé cette histoire ?
## Découvre d'autres histoires dans la même collection !

N° éditeur : 10251543 – Dépôt légal : janvier 2007
Achevé d'imprimer en janvier 2019 par Pollina
(85400 Luçon, Vendée, France) - 87467

MIXTE
Papier issu de
sources responsables
FSC® C022030

Nathan présente les applications Iphone et Ipad tirées de la collection *premières* **lectures**.

L'utilisation de l'Iphone ou de la tablette permettra au jeune lecteur de s'approprier différemment les histoires, de manière ludique.

Grâce à l'interactivité et au son, il peut s'entraîner à lire, soit en écoutant l'histoire, soit en la lisant à son tour et à son rythme.

Avec les applications *premières* **lectures**, votre enfant aura encore plus envie de lire… des livres !

Toutes les applications *premières* **lectures** sont disponibles sur l'App Store :